Logicals 1 für Einsteiger

Leseverständnis und logisches Denken fördern

Daniela Prusse • Illustrationen: Melanie Woicke

Importeur:
Westermann Lernwelten GmbH
Georg-Westermann-Allee 66
38104 Braunschweig
service@westermann.de
www.westermann.de

3. Auflage 2026

ISBN 987-3-03976-764-9

Inhalt

Logicals

Schwierigkeitsgrad (+ / ++ / +++)

Einsatzhinweise

Zielgruppe

Die Logicals in diesem Band sind für Kinder ab der 2. Klasse aufwärts geeignet.

Schwierigkeitsgrad

Die Mappe mit den Logicals ist der Anzahl an Hinweisen entsprechend aufsteigend aufgebaut. Grundsätzlich steigt der Leseaufwand mit zunehmender Anzahl an Hinweisen. Jedoch kann auch ein Logical mit wenigen Hinweisen von einem Kind als schwierig empfunden werden, weil es u.U. mehr kombinieren muss. Die Logicals wurden mit Kindern der entsprechenden Altersstufen erprobt.

Differenzierung – individualisiertes Lernen

Für leistungsschwächere Kinder kann die Reihenfolge, in der die Hinweise bearbeitet werden müssen um das Logical zu lösen, vorgegeben werden. Dafür werden die Hinweisnummern beim Kopieren der Vorlage abgedeckt und stattdessen die Nummern des Lösungsweges eingetragen. Auf diese Weise lässt sich ohne großen Aufwand eine zusätzliche immer wieder kopierbare Vorlage erstellen.

Was wird trainiert?

Logicals bieten eine gute Möglichkeit, genaues, sinnentnehmendes Lesen, Wortschatz und Logisches Denken zu trainieren.

Einführung

Damit die Kinder Spaß an Logicals haben, ist eine sorgfältige Einführung in diese Art der Aufgabenstellung wichtig. Vor allem mit Kindern, die keine Erfahrung mit Logicals haben, sollte zuerst mindestens ein Logical gemeinsam im Klassenverband oder in der Gruppe gelöst werden. Das gemeinsame Bearbeiten kann später durch Partnerarbeit abgelöst werden und zuletzt in die Einzelarbeit münden. Je nach Lernstand kann zunächst auch mit vorgegebenem Lösungsweg in die Aufgabenstellung eingeführt werden.

Aufbau und Vorgehensweise

Logicals sind, wie der Name schon verrät, logisch aufgebaut. Es gibt immer mindestens einen Hinweis, der eine oder mehrere der gesuchten Informationen verrät. Diesen gilt es zunächst zu finden. Von ihm aus hangelt man sich weiter von Hinweis zu Hinweis. Dafür müssen die übrigen Hinweise oft mehrmals gelesen werden, um den nächstfolgenden zu finden. Bei einigen Logicals ist auch das Kombinieren von mehreren Hinweisen miteinander nötig.

Bei manchen Logicals gibt es mehrere Lösungswege. Auf der Lösungsseite wird ein möglicher Lösungsweg in der Reihenfolge der Hinweisnummern aufgeführt und es werden ggf. weitere Einstiegsmöglichkeiten angegeben. Die Lösungsseiten dienen der Lehrperson als rasche Orientierung, können aber auch als Selbstkontrolle eingesetzt werden.

Die Logicals 5 und 7 enthalten einen Tipp, der die Bearbeitung etwas erleichtern soll. Er kann vor dem Kopieren auch abgedeckt werden, dann ist das Logical schwieriger.

Von Vorteil wird mit Bleistift gearbeitet, damit leicht Änderungen vorgenommen werden können.

Es ist ratsam, bereits bearbeitete Hinweise zu markieren, um die Übersicht zu behalten. So wird das Logical immer einfacher, weil immer weniger Hinweise übrig bleiben.

Verneinungen

Verneinungen sind besonders sorgfältig mit den Kindern anzuschauen, da sie oft eine zusätzliche Schwierigkeit darstellen. Beispiel: Was bedeutet der Hinweis „Pieps gehört nicht Tina"? Pieps muss einem der beiden anderen Kinder gehören, also Klara oder Tim.

Einsatzmöglichkeiten

Logicals können mit ihrer inhaltlichen Thematik ein Unterrichtsthema verschiedener Fächer ergänzen, eine zusätzliche Herausforderung bieten, eine spannende Hausaufgabe sein oder in der Begabtenförderung zum Einsatz kommen.

Erweiterung

Eine interessante Erweiterung zum Thema Logicals ist das Erfinden eigener Logicals mit der Klasse, z. B. zu einem Thema aus dem Sachunterricht oder zu einem selbst gewählten Thema.

Bei selbst entwickelten Logicals stellt man den Kindern am besten eine Tabelle zur Verfügung, in die sie zuerst die Lösungen eintragen. Danach erstellen sie für jede Lösung einen Hinweis und streichen die entsprechende Lösung durch. Zur Überprüfung, ob ihr Logical lösbar und fehlerfrei ist, können die Kinder die selbst erstellten Logicals nach der Reinschrift (nur Hinweise, Tabelle ohne Lösungen) untereinander austauschen und gegebenenfalls ergänzen und anpassen.

Zusatzmaterial

Es werden Bleistift, Radiergummi oder Farbstifte benötigt, für das Logical 13 ‚Lieblingskuscheltiere' Schere und ein Klebestift.

01 In der Eisdiele

Aufgabe

Es ist Sommer, es ist heiß! Drei Kinder kaufen sich nach der Schule von ihrem Taschengeld eine Kugel Eis.

Male die Eiskugeln in der passenden Farbe aus und schreibe die Namen der Kinder in die Kästchen.

Welche Eissorte mag Gabriel? ______________________________

1. Das Schokoladeneis gehört Max.
2. Das Erdbeereis ist nicht in der Mitte, aber rechts vom Vanilleeis.
3. Das Kind, das sein Eis nicht in einer Waffel mag, heißt Marie.

01 In der Eisdiele

Lösung

Es ist Sommer, es ist heiß! Drei Kinder kaufen sich nach der Schule von ihrem Taschengeld eine Kugel Eis.

Male die Eiskugeln in der passenden Farbe aus und schreibe die Namen der Kinder in die Kästchen.

Welche Eissorte mag Gabriel? *Antwort:* **Erdbeere**

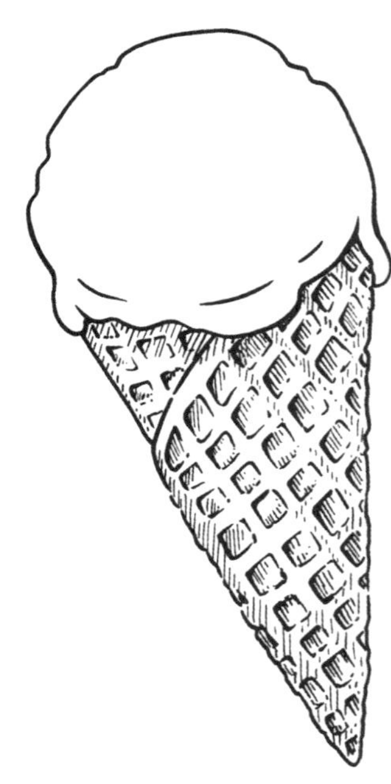

Max	**Marie**	**Gabriel**
Schokolade	**Vanille**	**Erdbeere**
Eissorte	Eissorte	Eissorte

Möglicher Lösungsweg: **3** – 2 – 1

Weitere Einstiegsmöglichkeit: mit 2

02 Kürbisgrimassen an Halloween

Aufgabe

Jonathan, Dina und Ender haben für Halloween Kürbisse ausgehöhlt und ihnen Gesichter geschnitzt.

Finde heraus, wie die Kürbisse aussehen, und male die passenden Gesichter darauf.

Wessen Kürbis hat einen Mund mit drei Zähnen? ______________________________

1. Links vom Kürbis mit den runden Augen ist der Kürbis mit dem größten Mund.
2. Ein Kürbis hat einen gezackten Mund und ovale Augen.
3. Der Kürbis in der Mitte hat dreieckige Augen.

02 Kürbisgrimassen an Halloween

Lösung

Jonathan, Dina und Ender haben für Halloween Kürbisse ausgehöhlt und ihnen Gesichter geschnitzt.

Finde heraus, wie die Kürbisse aussehen, und male die passenden Gesichter darauf.

Wessen Kürbis hat einen Mund mit drei Zähnen? *Antwort:* **Ender**

Lösungsweg: <u>**3**</u> – 1 – 2

03 Drei Häschen hinter der Hecke

Aufgabe

Male die Ohren in der richtigen Farbe aus und schreibe die Namen dazu.

Wie heißt das Häschen mit dem weißen Fell? ______________________

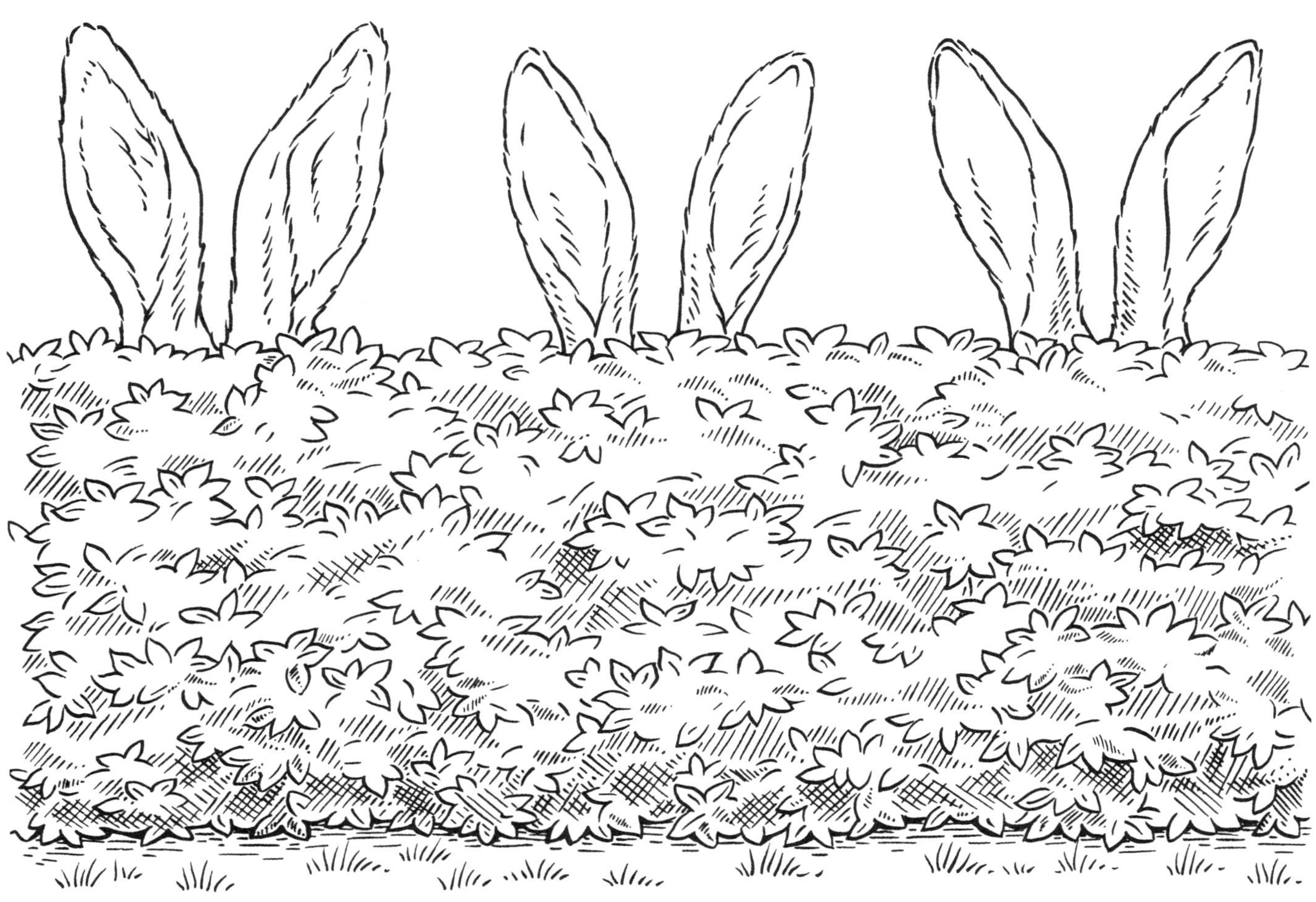

Farbe:

Name:

1. Möhrchen sitzt nicht in der Mitte.
2. Das Häschen rechts hat weiße Ohren.
3. Die schwarzen Ohren gehören weder zu Möhrchen noch zu Flöckchen.
4. Würde man die Ohrenfarbe von Stups und Flöckchen mischen, würde man die Farbe von Möhrchens Fell erhalten.

03 Drei Häschen hinter der Hecke

Lösung

Male die Ohren in der richtigen Farbe aus und schreibe die Namen dazu.

Wie heißt das Häschen mit dem weißen Fell? *Antwort:* **Flöckchen**

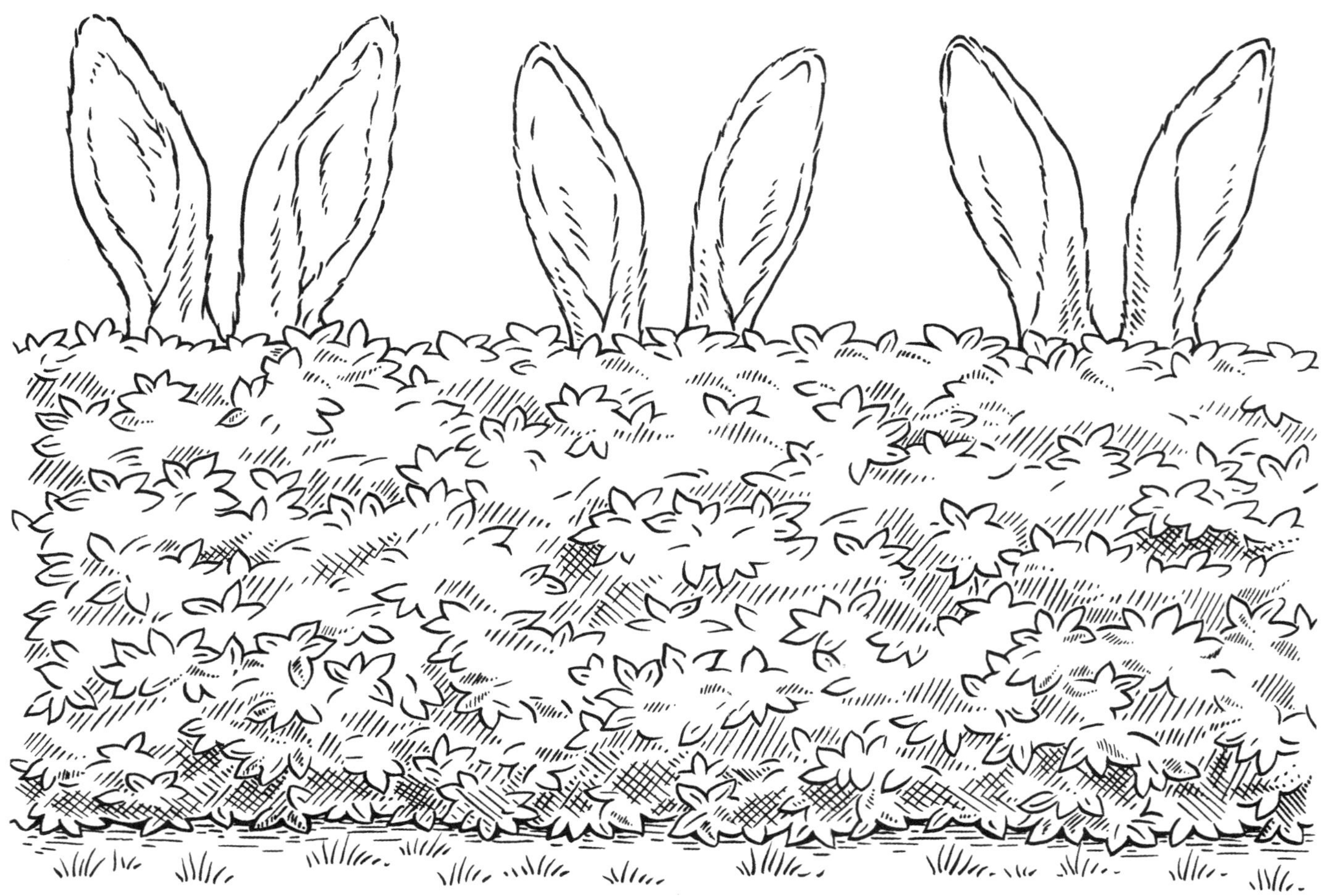

Farbe:

grau	**schwarz**	**weiß**

Name:

Möhrchen	**Stups**	**Flöckchen**

Lösungsweg: **2** – 1 – 3 – 4

04 Hausnummern

Aufgabe

Wer wohnt wo? Finde die fehlenden Hausnummern heraus und trage sie ein.

Schreibe die Namen der Kinder zum passenden Haus.

Wer wohnt im Haus mit den drei Stockwerken? ______________________

____

Name

____

Name

____

Name

____

Name

1. Maya ist nicht direkte Nachbarin von Mihovil.
2. Ben wohnt im Haus mit der Nummer 31.
3. Die Hausnummer von Maya ist gerade und kleiner als 20, jedoch höher als die Hausnummer von Sofia.
4. Mihovil wohnt im Haus mit den beiden gleichen Ziffern.

04 Hausnummern

Wer wohnt wo? Finde die fehlenden Hausnummern heraus und trage sie ein.

Schreibe die Namen der Kinder zum passenden Haus.

Wer wohnt im Haus mit den drei Stockwerken? *Antwort:* **Ben**

Mihovil

Name

Sofia

Name

Ben

Name

Maya

Name

Lösungsweg: 4 – 1 – 2 – 3

05 Marienkäferkrabbelei

Aufgabe

Finde heraus, wie viele Punkte jeder Käfer auf seinem Rücken trägt, und male sie auf.

Anzahl der Punkte:

1. Der linke und der mittlere Marienkäfer haben zusammen 7 Punkte.

2. Der Marienkäfer mit der geringsten Punktezahl ist nicht in der Mitte.

3. Der Marienkäfer rechts hat doppelt so viele Punkte auf dem Rücken wie der Marienkäfer ganz links.

4. Der Marienkäfer in der Mitte hat eine gerade Punktezahl auf dem Rücken und mehr Punkte als der Marienkäfer rechts.

Tipp: Schreibe dir nach dem Lesen von Hinweis 1 alle Möglichkeiten für die Anzahl der Punkte auf. Lies danach die übrigen Hinweise und kombiniere weiter.

05 Marienkäferkrabbelei

Lösung

Finde heraus, wie viele Punkte jeder Käfer auf seinem Rücken trägt, und male sie auf.

Anzahl der Punkte:

1	6	2

Möglicher Lösungsweg: 1 – 4 – 3 – 2

06 Beim Frisör / Coiffeur

Aufgabe

Drei Leute sitzen beim Frisör / Coiffeur. Finde heraus, wie sie heißen, welche Haarfarbe sie haben und welche Frisur sie erhalten.

Schreibe die Namen der Personen und ihre Haarfarben in die Kästchen.

Zeichne die Frisuren zunächst mit Bleistift auf die passenden Köpfe. Wenn du sicher bist, dass alles stimmt, malst du die Haare in der richtigen Farbe an.

Wer hat einen Bürstenschnitt? ______________________

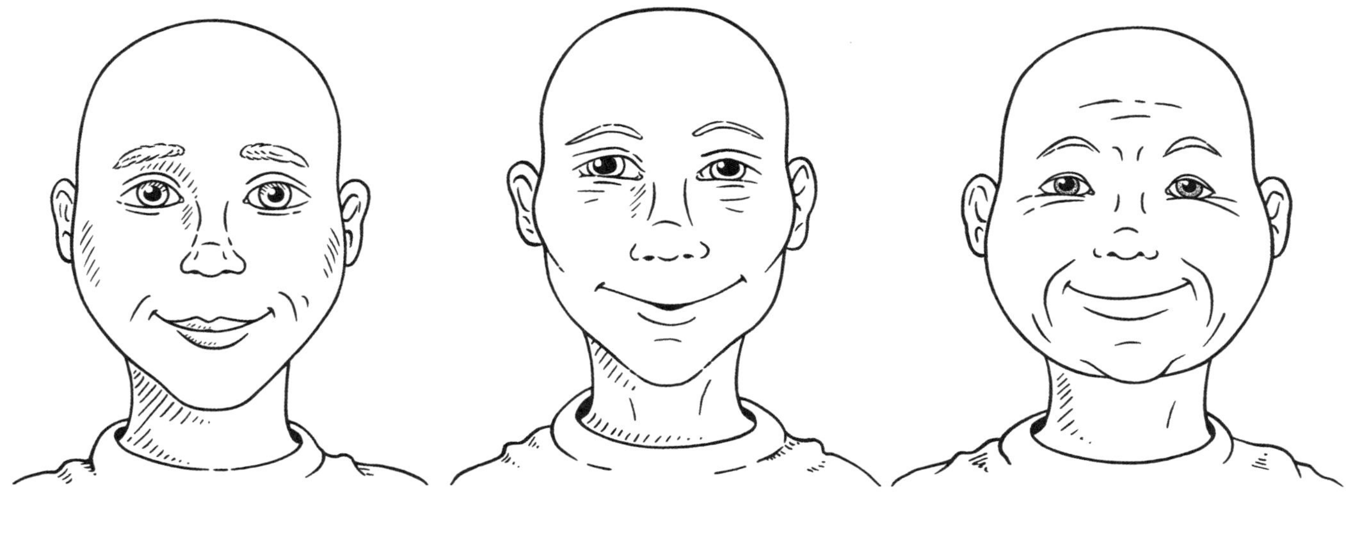

Name:

Haarfarbe:

1. Frau Coupé bekommt einen Pagenschnitt. Dabei werden alle Haare auf Kinnlänge geschnitten.
2. Der Bart von Herrn Katt wird auf 3 Millimeter Länge gestutzt.
3. Die Person zwischen der rothaarigen und der braunhaarigen hat schwarze Haare.
4. Frau Klippa sitzt ganz links und hat ihre langen Haare mit einer Dauerwelle in Locken legen lassen.
5. Frau Coupé mit den braunen Haaren sitzt ganz rechts.

06 Beim Frisör / Coiffeur

Lösung

Drei Leute sitzen beim Frisör / Coiffeur. Finde heraus, wie sie heißen, welche Haarfarbe sie haben und welche Frisur sie erhalten.

Schreibe die Namen der Personen und ihre Haarfarben in die Kästchen.

Zeichne die Frisuren zunächst mit Bleistift auf die passenden Köpfe. Wenn du sicher bist, dass alles stimmt, malst du die Haare in der richtigen Farbe an.

Wer hat einen Bürstenschnitt? *Antwort:* **Herr Katt**

Lange Haare / Dauerwelle	**Bürstenschnitt / Bart**	**Pagenscnitt**
Frisur	Frisur	Frisur

Name:

Frau Klippa	**Herr Katt**	**Frau Coupé**

Haarfarbe:

rot	**schwarz**	**braun**

Möglicher Lösungsweg: **4** – 5 – 1 – 3 – 2

Weitere Einstiegsmöglichkeit: mit 5

07 Laternenumzug

Aufgabe

Hannah, Lars und Alexandra sind aufgeregt, gleich geht der Laternenumzug los.
Jede Laterne hat eine Farbe und ein aufgemaltes Muster.

Wer hat eine rote Laterne? ______________________________

Hannah

Lars

Alexandra

1. Zwischen der dunkelblauen Laterne und der mit dem Stern ist die hellblaue Laterne.
2. Auf der Laterne in der Mitte ist nicht der Mond.
3. Die Punkte auf einer Laterne sind rosa und gelb.
4. Sowohl der Mond als auch der Stern sind gelb.
5. Die dunkelblaue Laterne ist ganz rechts.

Tipp: Merke dir die Farben der Laternen und zeichne zuerst die farbigen Muster.
Male die Laternen erst dann farbig aus.

07 Laternenumzug

Lösung

Hannah, Lars und Alexandra sind aufgeregt, gleich geht der Laternenumzug los.

Jede Laterne hat eine Farbe und ein aufgemaltes Muster.

Wer hat eine rote Laterne? *Antwort:* **Hannah**

Hannah	Lars	Alexandra
rot	**hellblau**	**dunkelblau**
Farbe	Farbe	Farbe
gelb	**rosa / gelb**	**gelb**
Stern	Punkte	Mond

Lösungsweg: 5 – 1 – 2 – 4 – 3

Ostern

Ganz stolz sind die drei Hennen auf die Eier, die sie gelegt haben. Kunstvoll wurden sie vom Osterhasen angemalt.

Lies die Hinweise und male die Eier passend an. Schreibe die Namen unter die Hennen.

Wessen Ei ist blau und mit einer gelben Sonne bemalt? ______________________

____________________	____________________	____________________
Name	Name	Name

1. Etwas neidisch schaut Henne Hannelore auf das größte Ei.

2. Das grüne Ei mit der Sonnenblume gehört nicht Mathilde.

3. Henne Gudi ist stolz auf ihr vollkommen ovales Ei.

4. Henne Mathilde hat das größte Ei gelegt.

5. Das rot-gelb gestreifte Ei befindet sich nicht neben dem vollkommen ovalen Ei.

Ostern

Ganz stolz sind die drei Hennen auf die Eier, die sie gelegt haben. Kunstvoll wurden sie vom Osterhasen angemalt.

Lies die Hinweise und male die Eier passend an. Schreibe die Namen unter die Hennen.

Wessen Ei ist blau und mit einer gelben Sonne bemalt? *Antwort:* **Mathildes Ei**

grün	**blau**	**rot-gelb**
Gudi	**Mathilde**	**Hannelore**
Name	Name	Name

Möglicher Lösungsweg: <u>**3**</u> – 4 – 1 – 5 – 2

Weitere Einstiegsmöglichkeiten: mit 4 oder 5

09 Im Schlangenhaus

Aufgabe

Annika und ihre Freunde sind im Zoo und betrachten fasziniert die Schlangen im Schlangenhaus.

Welche Schlangenart stammt aus Afrika? ______________________________

Name:

Region:

Länge:

1. Die 5 Meter lange Schlange ist nicht links.
2. Die Kobra wird nur halb so lang wie die Mamba.
3. Die beiden in Süd- und Südostasien vorkommenden Schlangen sind nicht nebeneinander.
4. Die 4 Meter lange Mamba ist in der Mitte.
5. Die Tigerpython ist die längste der drei Schlangen.

Im Schlangenhaus

Lösung

Annika und ihre Freunde sind im Zoo und betrachten fasziniert die Schlangen im Schlangenhaus.

Welche Schlangenart stammt aus Afrika? *Antwort:* **die Mamba**

Name:

Kobra	**Mamba**	**Tigerpython**

Region:

Süd- und Südostasien	**Afrika**	**Süd- und Südostasien**

Länge:

2 Meter	**4 Meter**	**5 Meter**

Möglicher Lösungsweg: <u>**4**</u> – 3 – 2 – 1 – 5

10 Meerschweinchen

Aufgabe

Klara, Tina und Tim lassen ihre Meerschweinchen zusammen auf der Wiese herumlaufen, denn sie wissen, dass Meerschweinchen gerne Gesellschaft haben.

Finde heraus, wem welches Meerschweinchen gehört, wie sie heißen und male ihr Fell in der passenden Farbe aus.

Wessen Meerschweinchen hat ein braunes Fell? ______________________

Name des Meerschweinchens:

Name des Kindes:

1. Pieps gehört nicht Tina.
2. Maxe gehört nicht Klara.
3. Zwischen dem strubbeligen und dem schwarzen Meerschweinchen sitzt Tims Meerschweinchen.
4. Tinas Meerschweinchen hat ein schwarzweiß - geschecktes Fell.
5. Strubbel hat kein glattes Fell.

10 Meerschweinchen

Lösung

Klara, Tina und Tim lassen ihre Meerschweinchen zusammen auf der Wiese herumlaufen, denn sie wissen, dass Meerschweinchen gerne Gesellschaft haben.

Finde heraus, wem welches Meerschweinchen gehört, wie sie heißen und male ihr Fell in der passenden Farbe aus.

Wessen Meerschweinchen hat ein braunes Fell? *Antwort:* **Tims Meerschweinchen Maxe**

schwarzweiß - gescheckt	**braun**	**schwarz**
Farbe	Farbe	Farbe

Name des Meerschweinchens:

Strubbel	**Maxe**	**Pieps**

Name des Kindes:

Tina	**Tim**	**Klara**

Möglicher Lösungsweg: **5** – 3 – 1 – 2 – 4

11 Auf der Hundewiese

Aufgabe

Gewusel auf der Hundewiese: Hilf den 3 Kindern beim Finden ihrer Hunde. Zeichne eine lange Leine vom Kind zum richtigen Hund. Male die Hunde der Kinder in der passenden Farbe aus. Schreibe den richtigen Namen des Hundes unter das Kind.

Wessen Hund hat ein braunes Fell? ______________________________

______________ Hundename

______________ Hundename

______________ Hundename

1. Der auffällig frisierte Hund gehört einem Jungen.
2. Lucas Hund heißt nicht Balu und hat ein schwarzes Fell.
3. Viktors Hund Mina ist der größte von allen.
4. Ein Kind ruft seinen Hund Hektor.
5. Der Hund mit den kürzesten Beinen gehört Dimitra.
6. Der größte Hund ist dunkelgrau.

Zusatzaufgabe: Weißt du, wie die abgebildeten Hunderassen heißen?

11 Auf der Hundewiese

Lösung

Gewusel auf der Hundewiese: Hilf den 3 Kindern beim Finden ihrer Hunde. Zeichne eine lange Leine vom Kind zum richtigen Hund. Male die Hunde der Kinder in der passenden Farbe aus. Schreibe den richtigen Namen des Hundes unter das Kind.

Wessen Hund hat ein braunes Fell? *Antwort:* **Dimitras Hund, der Dackel Balu**

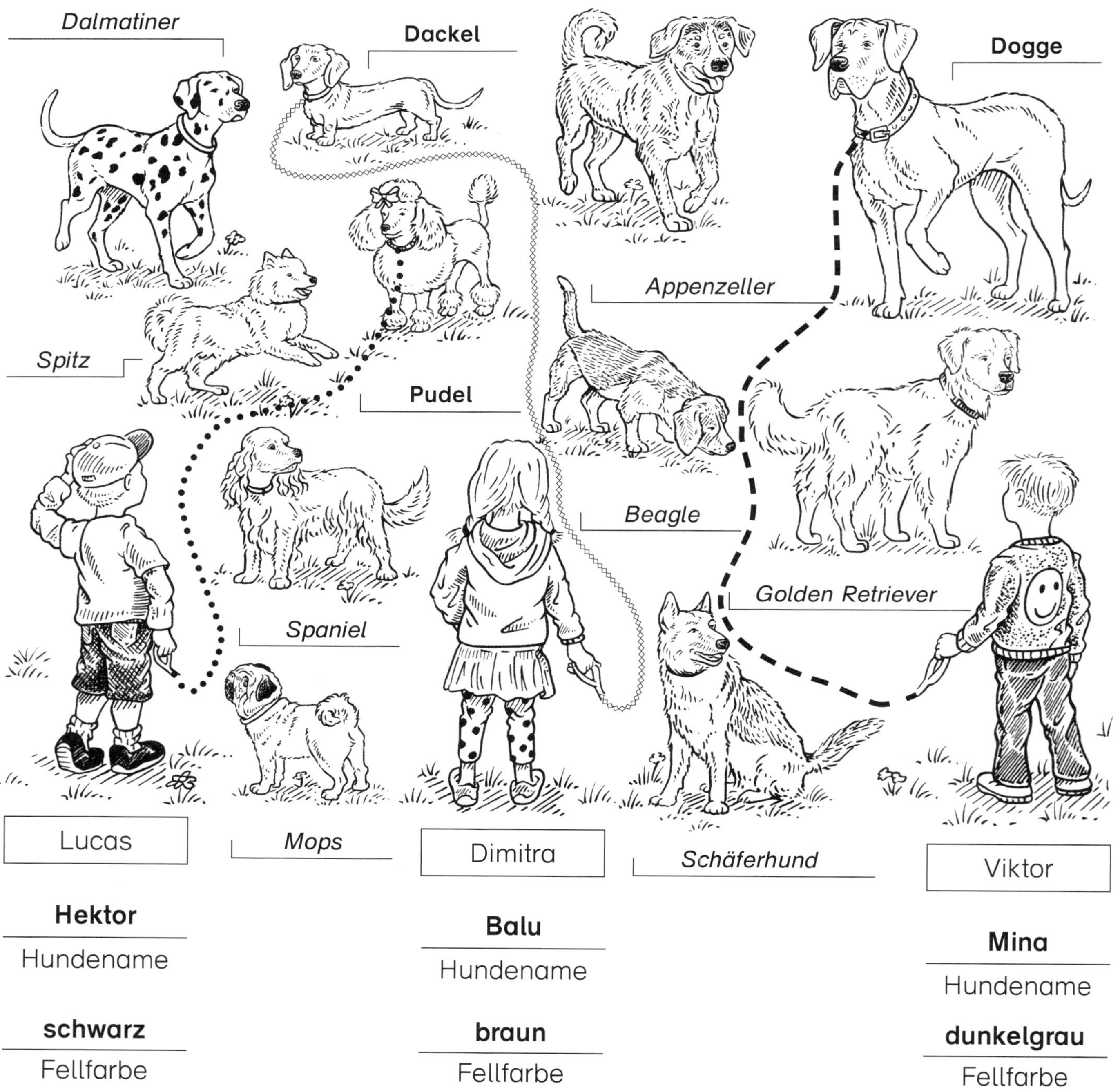

Möglicher Lösungsweg: <u>**3**</u> – 5 – 1 – 6 – 2 – 4

Weitere Einstiegsmöglichkeiten: mit 5 oder 6

Zusatzaufgabe: Weißt du, wie die abgebildeten Hunderassen heißen?

12 Hurra, Sommerferien!

Aufgabe

Endlich, letzter Schultag! Die Ferien können beginnen! Alle Kinder haben Pläne. Egal ob zu Hause, in der eigenen Stadt oder auf dem Weg in die Ferne, jedes Kind benutzt in seinen Ferien ein anderes Verkehrsmittel.

Wer wird einen Kletterkurs besuchen? ______________________

Name des Kindes:

Verkehrsmittel:

Beschäftigung:

1. Eine Woche lang wird Jesper täglich mit dem Fahrrad/Velo unterwegs sein.
2. In einem Koffer steckt eine Taschenlampe für die geplante Höhlenwanderung.
3. Im Flugzeug wird Larissa leider immer schlecht. Trotzdem freut sie sich schon aufs Lesen im Liegestuhl am Strand.
4. Links von Theos Koffer befindet sich Jespers Sporttasche.
5. Neben dem Gepäckstück des Kindes, das mit dem Auto in die Ferien fährt, steht das Gepäckstück des Kindes, das in die Ferien fliegt.

12 Hurra, Sommerferien!

Lösung

Endlich, letzter Schultag! Die Ferien können beginnen! Alle Kinder haben Pläne. Egal ob zu Hause, in der eigenen Stadt oder auf dem Weg in die Ferne, jedes Kind benutzt in seinen Ferien ein anderes Verkehrsmittel.

Wer wird einen Kletterkurs besuchen? *Antwort:* **Jesper**

Name des Kindes:

Jesper	**Theo**	**Larissa**

Verkehrsmittel:

Fahrrad/Velo	**Auto**	**Flugzeug**

Beschäftigung:

Kletterkurs	**Höhlenwanderung**	**Lesen**

Möglicher Lösungsweg: 4 – 1 – 3 – 5 – 2

13 Lieblingskuscheltiere

Aufgabe

Schneide die Bilder der Stofftiere aus. Klebe sie an den richtigen Ort in die Tabelle. Male sie in den passenden Farben aus. Welchem Kind gehört welches Stofftier? Schreibe die Namen darunter.

Welches Stofftier hat ein schwarzes Fell? ______________________

Stofftiere:

______________	______________	______________
Name	Name	Name

1. Noch lieber hätte Pia einen echten Hund.

2. Links von der Seerobbe befindet sich der Stoffhund.

3. Noah mag seine Seerobbe sehr.

4. Das Fell des Affen ist dunkelbraun.

5. Das graue Stofftier in der Mitte hat Flossen.

6. Sogar in die Ferien darf Zenos Affe mit.

13 Lieblingskuscheltiere

Lösung

Schneide die Bilder der Stofftiere aus. Klebe sie an den richtigen Ort in die Tabelle. Male sie in den passenden Farben aus. Welchem Kind gehört welches Stofftier? Schreibe die Namen darunter.

Welches Stofftier hat ein schwarzes Fell? *Antwort:* **Pias Hund**

Stofftiere:

schwarz	**grau**	**dunkelbraun**
Pia	**Noah**	**Zenos**
Name	Name	Name

Möglicher Lösungsweg: **5** – 3 – 2 – 1 – 4 – 6

14 Kleine Krabbeltiere

Aufgabe

Kennst du dich aus mit kleinen Tieren?

Welches Tier mag den Honigtau von Blattläusen? ______________________

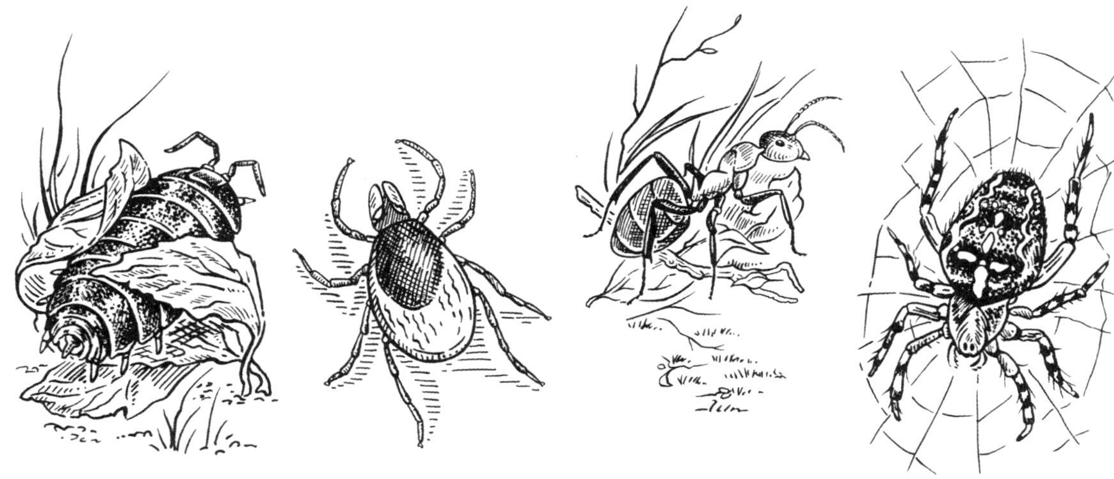

Name:				
Ernährung:				
Anzahl Beine:				

1. Zwischen den beiden Tieren, die gleich viele Beine haben, befindet sich die Waldameise.
2. Das Tierchen, das abgestorbene Pflanzenteile frisst, befindet sich ganz links.
3. Zählst du die Beine der Waldameise und die eines der Tiere neben ihr zusammen, erhältst du die Beinzahl der Assel.
4. Die Waldameise hat dreimal so viele Beine wie ein Mensch.
5. Mit ihrem Netz fängt die Kreuzspinne Insekten und frisst sie.
6. Neben dem Tier, das die meisten Beine hat, befindet sich die Zecke. Sie mag Tier- und Menschenblut.

14 Kleine Krabbeltiere

Lösung

Kennst du dich aus mit kleinen Tieren?

Welches Tier mag den Honigtau von Blattläusen? *Antwort:* **die Waldameise**

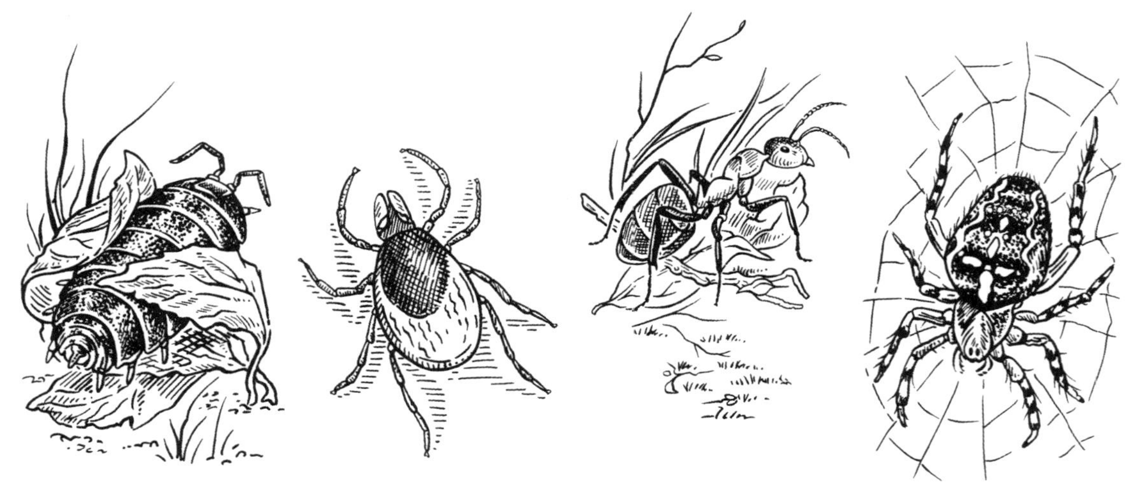

Name:	**Assel**	**Zecke**	**Waldameise**	**Kreuzspinne**
Ernährung:	**abgestorbene Pflanzenteile**	**Tier- und Menschenblut**	**Honigtau von Blattläusen**	**Insekten**
Anzahl Beine:	**14**	**8**	**6**	**8**

Möglicher Lösungsweg: **2** – 1 – 4 – 6 – 3 – 5
(wenn man die Tiere nicht kennt)

Weitere Einstiegsmöglichkeit: mit jedem anderen Hinweis
(wenn man die Tiere kennt)

15 Lieblingsessen

Aufgabe

Nicht alle mögen das gleiche Essen.

Welches Lieblingsessen und welches Lieblingsgetränk gehört zu welchem Kind? Male das Essen auf die Teller und die Getränke in den Gläsern in der passenden Farbe aus.

Wer mag Kartoffelbrei / Kartoffelstock mit Erbsen und Würstchen? ____________________

Name des Kindes:

Gericht:

Getränk:

1. Das hellste Getränk gehört zu Chiara.

2. Es gibt zwei vegetarische Gerichte: Spaghetti mit Tomatensoße und Spinatsuppe mit Ei.

3. Chiaras Teller steht nicht neben Tinos Teller, sondern neben Lucas Teller.

4. Chiaras Lieblingsessen hat zugleich ihre Lieblingsfarbe Grün.

5. Der Orangensaft gehört zu einem der Jungen.

6. Tinos Teller steht ganz links. Er mag Spaghetti.

7. Wasser und Cola stehen nicht nebeneinander.

15 Lieblingsessen

Lösung

Nicht alle mögen das gleiche Essen.

Welches Lieblingsessen und welches Lieblingsgetränk gehört zu welchem Kind? Male das Essen auf die Teller und die Getränke in den Gläsern in der passenden Farbe aus.

Wer mag Kartoffelbrei/Kartoffelstock mit Erbsen und Würstchen? *Antwort:* **Luca**

Name des Kindes:

Tino	**Luca**	**Chiara**

Gericht:

Spaghetti mit Tomatensoße	**Kartoffelbrei/Kartoffelstock mit Erbsen und Würstchen**	**Spinatsuppe mit Ei**

Getränk:

Cola	**Orangensaft**	**Wasser**

Möglicher Lösungsweg: <u>**6**</u> – 3 – 7 – 5 – 1 – 2 – 4

16 Waldbewohner

Aufgabe

Hier erfährst du, wie die drei Waldtiere und ihre Jungen heißen.

Wessen Jungtier wird Kalb genannt? ______________________________

Weibchen:			
Männchen:			
Junges:			

1. Die Hirschkuh befindet sich rechts von der Ricke.
2. Bis zu acht Frischlinge bringt die Bache zur Welt.
3. Das Weibchen nennt man Ricke. Es steht in der Mitte.
4. Hirsche fressen Gräser, Blätter und Eicheln. Der männliche Hirsch trägt ein mächtiges Geweih.
5. Der Keiler hat große Eckzähne, man nennt sie Hauer.
6. Auch der Rehbock trägt ein kleines Geweih.
7. Die Ricke säugt ihr Kitz etwa drei Monate lang.

16 Waldbewohner

Lösung

Hier erfährst du, wie die drei Waldtiere und ihre Jungen heißen.

Wessen Jungtier wird Kalb genannt? *Antwort:* **Das Jungtier von Hirschen**

Weibchen:	**Bache**	**Ricke**	**Hirschkuh**
Männchen:	**Keiler**	**Rehbock**	**Hirsch**
Junges:	**Frischling**	**Kitz**	**Kalb**

Möglicher Lösungsweg: **3** – 1 – 7 – 4 – 6 – 5 – 2

17 Auf dem stillen Örtchen

Aufgabe

Drei Familien und drei verschiedene Vorlieben für Toilettenpapier. Welche Familie kauft welches Toilettenpapier?

Fülle die Tabelle aus und male das passende Muster auf das Toilettenpapier.

Welche Familie kauft das mit Wellenlinien bedruckte Toilettenpapier? ______________

Familie:			
Marke:			
Anzahl Blätter:			
Anzahl Rollen pro Packung:			
Muster:			

1. Familie Schmidt erhält pro gekaufter Packung Toilettenpapier zwei Rollen mehr als Familie Priore, aber zwei weniger als Familie Günther.
2. Familie Priore achtet auf die Umwelt und kauft daher Recycling Toilettenpapier der Marke Eko.
3. Da Familie Günther aus 6 Leuten besteht, kauft sie Toilettenpapier mit 12 Rollen je Packung.
4. Bevorzugt sehr weiches Toilettenpapier der Marke Flausch verwendet Familie Schmidt in der Mitte.
5. 50 Blätter weniger als das Toilettenpapier der Marke Eko hat das Papier von Familie Günther ganz links.
6. Rechts von der Marke Flausch ist das Toilettenpapier mit der meisten Anzahl Blätter pro Rolle, nämlich 150 Stück. Das sind 30 mehr als beim sehr weichen Toilettenpapier.
7. Während das Toilettenpapier der Marke Popofix mit rosa Blümchen bedruckt ist, ist auf dem Umweltpapier gar kein Muster.

17 Auf dem stillen Örtchen

Lösung

Drei Familien und drei verschiedene Vorlieben für Toilettenpapier. Welche Familie kauft welches Toilettenpapier?

Fülle die Tabelle aus und male das passende Muster auf das Toilettenpapier.

Welche Familie kauft das mit Wellenlinien bedruckte Toilettenpapier?

Antwort: **Familie Schmidt**

Familie:	**Günther**	**Schmidt**	**Priore**
Marke:	**Popofix**	**Flausch**	**Eko**
Anzahl Blätter:	**100**	**120**	**150**
Anzahl Rollen pro Packung:	**12**	**10**	**8**
Muster:	**rosa Blümchen**	**Wellenlinien**	**kein Muster**

Lösungsweg: 4 – 6 – 5 – 2 – 3 – 1 – 7

18 Weihnachten hier und anderswo

Aufgabe

Vier Kinder berichten, ob sie an Weihnachten Geschenke bekommen.

Welches Kind kommt aus den Niederlanden? ______________________

Name:

Herkunft:

Geschenke:

1. Nathan kommt aus Deutschland.

2. Weihnachten feiern wir in unserer Familie, aber ohne Geschenke. Geschenke bringt die gute Fee Befana am 6. Januar, berichtet Meo aus Italien, der neben Mia steht.

3. Florine ganz links berichtet: Weihnachten ist bei uns ein Familienfest. Geschenke gibt es keine, die bekommen wir nämlich schon am 5. Dezember.

4. Mia erzählt: Weihnachten feiern wir nicht. Geschenke bekomme ich erst später zum Neujahrsfest.

5. Florine und Mia stehen nebeneinander.

6. In unserer Familie schenken wir uns alle etwas. Jedes Jahr hoffe ich, dass ich einen Hund bekomme. Aber das hat leider noch nie geklappt, sagt Nathan.

7. Mia wohnt in China.

18 Weihnachten hier und anderswo

Lösung

Vier Kinder berichten, ob sie an Weihnachten Geschenke bekommen.

Welches Kind kommt aus den Niederlanden? *Antwort:* **Florine**

Name:

Florine	**Mia**	**Meo**	**Nathan**

Herkunft:

Niederlande	**China**	**Italien**	**Deutschland**

Geschenke:

nein	**nein**	**nein**	**ja**

Möglicher Lösungsweg: **3** – 5 – 2 – 7 – 4 – 6 – 1

19 Geburtstagstorten

Aufgabe

Viel Betrieb beim besten Konditor der Stadt. Drei Eltern sind gekommen, um die bestellten Torten für ihre Kinder abzuholen.

Doch welche Torte ist für wen?

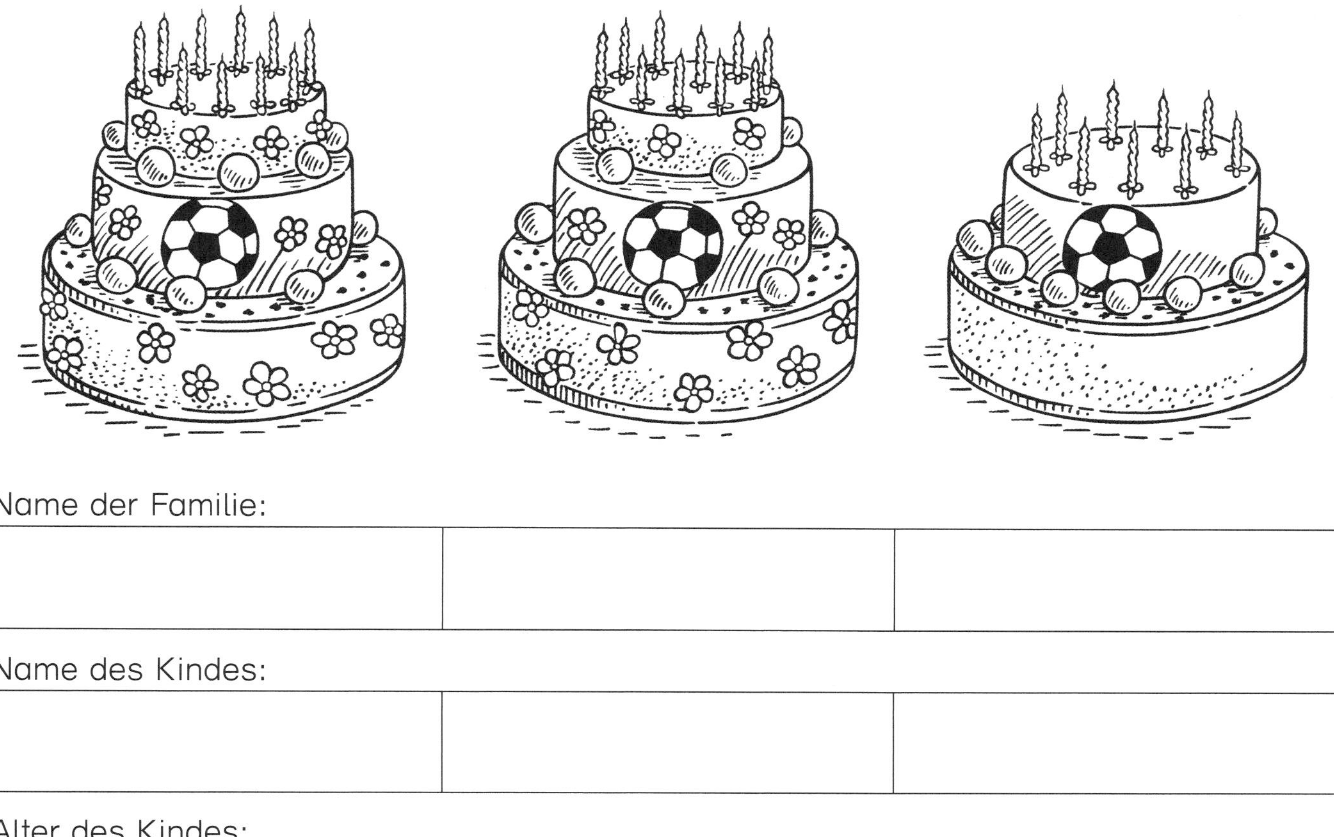

Name der Familie:

Name des Kindes:

Alter des Kindes:

Lies die Hinweise genau in der angegebenen Reihenfolge.

- „Ich habe für meinen Sohn Unai eine Torte bestellt", sagt Frau Suarez.
- „Ihr Sohn mag doch bestimmt keine Blumen! Ich denke, dass die Torte ganz rechts für ihren Sohn ist", meint Frau Güntert.
- Frau Suarez antwortet: „Oh nein, Unai liebt Blumen! Zudem habe ich eine dreistöckige Torte bestellt."
- „Moment", schaltet sich Herr Zonnefeld ein. „Meine Tochter Florine wird neun. Lassen Sie uns mal die Kerzen zählen."
- „Luisa mag Fußball", sagt Frau Güntert.
- „Unai auch!", erwidert Frau Suarez.
- „Stopp, stopp!", ruft Konditormeister Anton dazwischen. „Ich weiß genau, dass ich die Torte von Familie Güntert mit zehn Marzipankugeln verziert habe."

Dann sollte nun doch alles klar sein, oder?

19 Geburtstagstorten

Lösung

Viel Betrieb beim besten Konditor der Stadt. Drei Eltern sind gekommen, um die bestellten Torten für ihre Kinder abzuholen.

Doch welche Torte ist für wen? *Antwort:* **siehe Tabelle**

Name der Familie:

Güntert	**Suarez**	**Zonnefeld**

Name des Kindes:

Luisa	**Unai**	**Florine**

Alter des Kindes:

10	**10**	**9**

Lösungsweg: in der angegebenen Reihenfolge

20 Zeit für eine Pause

Aufgabe

Endlich Pause! Emma, Loreta, Vassilije und Gallus haben schon richtig Hunger und freuen sich aufs Spielen.

Wie sehen die Dosen der Kinder aus? Schreibe die noch fehlenden Nahrungsmittel in die Tabelle und male die Dosen passend an.

Wer isst eine Orange? ______________________

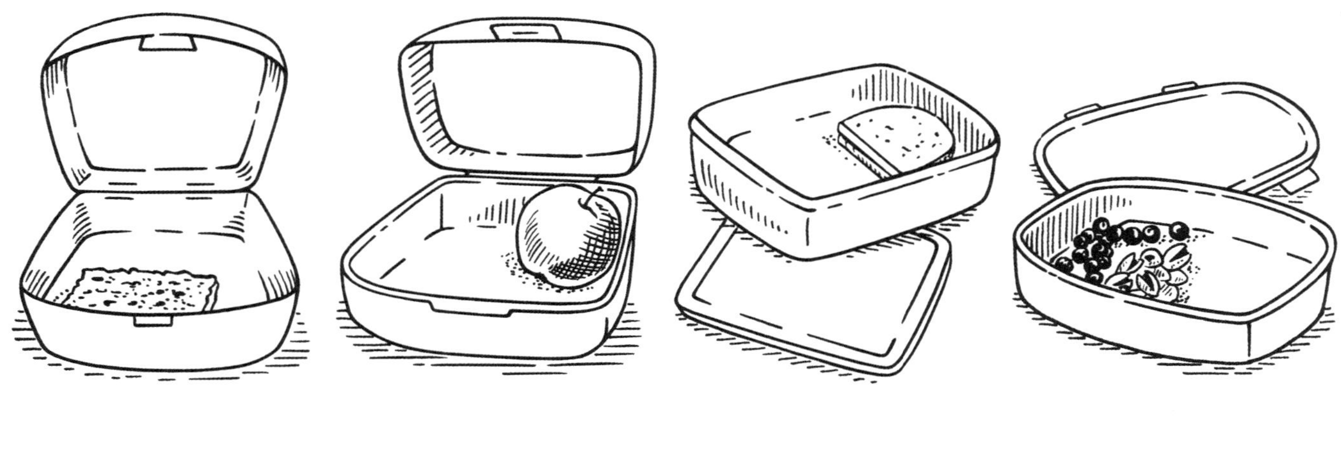

Name:

Inhalt:

Farbe/Aufdruck:

1. Die Dosen der beiden Mädchen stehen nicht nebeneinander.

2. Gallus mag Pistazien und Blaubeeren.

3. Vassilije hat stets ein Wurstbrot und eine Frucht dabei.

4. Die Dose mit dem Pferdemotiv steht weder ganz links noch ganz rechts.

5. Die rote Dose steht links neben der blauen Dose, aber nicht neben der Pferdedose.

6. In der Dose mit den aufgedruckten Fußbällen liegt ein Müsliriegel.

7. Emma mag knuspriges Knäckebrot und knabbert gern Karotten.

20 Zeit für eine Pause

Lösung

Endlich Pause! Emma, Loreta, Vassilije und Gallus haben schon richtig Hunger und freuen sich aufs Spielen.

Wie sehen die Dosen der Kinder aus? Schreibe die noch fehlenden Nahrungsmittel in die Tabelle und male die Dosen passend an.

Wer isst eine Orange? *Antwort:* **Loreta**

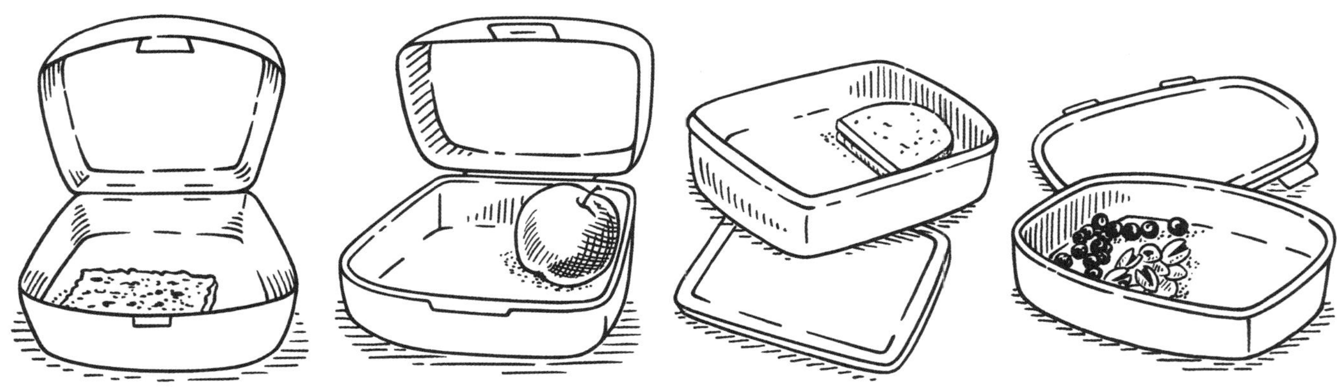

Name:

Emma	**Vassilije**	**Loreta**	**Gallus**

Inhalt:

Karotten	**Wurstbrot**	**Orange**	**Müsliriegel**

Farbe / Aufdruck:

rot	**blau**	**Pferd**	**Fußbälle**

Möglicher Lösungsweg: **2** – 7 – 1 – 3 – 4 – 5 – 6

Weitere Einstiegsmöglichkeit: mit 7

21 Erfindungen

Aufgabe

Taucht ein Problem auf, dann braucht man einfallsreiche Köpfe. Hier lernst du vier Menschen kennen, die Dinge erfunden haben, die wir noch heute benutzen.

Was wurde 1886 erfunden? ______________________________

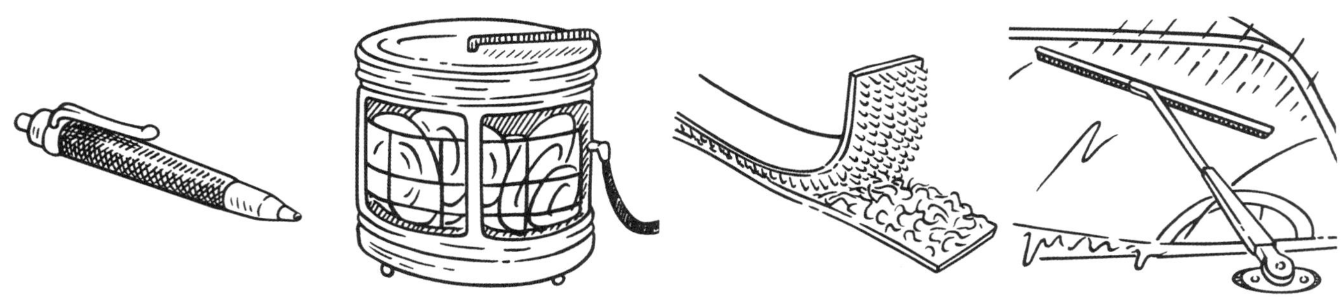

Name Erfinder/in:

Jahr:

Land:

1. Immer von Hand zu spülen? Das fand Josephine Cochrane grässlich.
2. 3 Jahre später als der Kugelschreiber, nämlich 1941, wurde der Klettverschluss erfunden.
3. Die zweite Erfindung von einer Frau aus den USA siehst du ganz rechts.
4. Natürlich sehen unsere Geschirrspüler heute anders aus als das allererste Modell aus den USA.
5. Unter den vier Erfindern ist ein Schweizer.
6. Der Ungar Lásló Bíró arbeitete bei einer Zeitung. Es störte ihn, dass er bei seinem Füller oft Tinte nachfüllen musste. So erfand er ein neues Schreibgerät.
7. Nach der Jagd im Wald hingen im Fell seines Hundes kleine Pflanzenkugeln mit Härchen. Diese Beobachtung brachte Georges de Mestral auf die Idee, den Klettverschluss zu erfinden.
8. Straßenbahnfahrer/Tramfahrer mussten bei Regen immer wieder aussteigen und die Scheibe putzen. Das kann man besser lösen, dachte sich Mary Anderson im Jahre 1903.

21 Erfindungen

Lösung

Taucht ein Problem auf, dann braucht man einfallsreiche Köpfe. Hier lernst du vier Menschen kennen, die Dinge erfunden haben, die wir noch heute benutzen.

Was wurde 1886 erfunden? *Antwort:* **der Geschirrspüler**

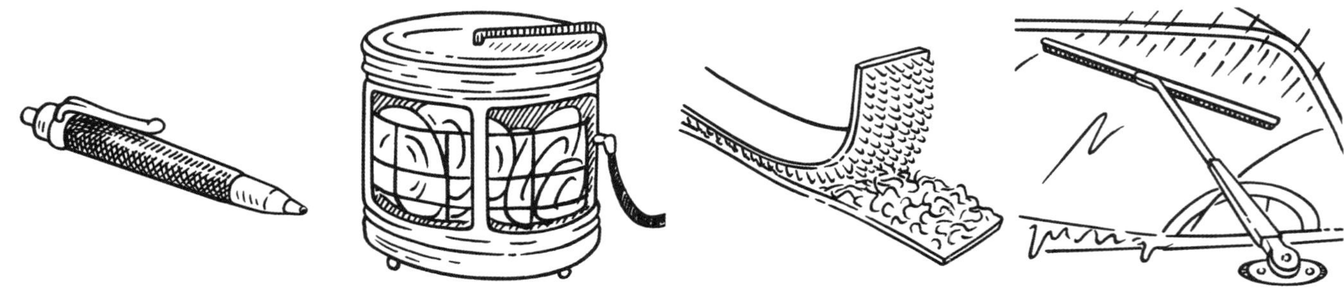

Name Erfinder/in:

Lásló Bíró	**Josephine Cochrane**	**Georges de Mestral**	**Mary Anderson**

Jahr:

1938	**1886**	**1941**	**1903**

Land:

Ungarn	**USA**	**Schweiz**	**USA**

Möglicher Lösungsweg: 1 – 2 – 6 – 5 – 4 – 7 – 8 – 3 – 5

22 Getränke mixen

Aufgabe

Drei Kinder mixen für ihr Geburtstagsfest leckere Getränke.

Welche Namen haben die Kinder ihren Getränken gegeben? Welche drei Zutaten haben sie verwendet und womit haben sie ihre Getränke dekoriert? Kreise alle Zutaten für Klaras Getränk rot ein, für Philips orange und Oskars gelb.

Womit hat Philip sein Getränk dekoriert? ______________________

Wenn du alle Lösungen herausgefunden hast, kannst du die passende Dekoration an die Gläser zeichnen.

Name des Kindes:			

Getränkename:			

1. Ein Getränk heißt Sprudelfix.
2. Der Bunte Supercooler befindet sich rechts von Klaras Getränk.
3. Rechts vom Getränk mit Orangensaft steht das Getränk, das mit Zitronenmelisse dekoriert ist.
4. Im Gegensatz zum Getränk ganz rechts enthält das Getränk ganz links keinen Apfelsaft, sondern Orangensaft.
5. Kirschsaft, Apfelsaft und Zitronensaft befinden sich in Oskars Getränk.
6. Klaras Getränk mit den zerstoßenen Limetten befindet sich in der Mitte.
7. Zwischen dem mit einer Erdbeere dekorierten Getränk und dem Getränk mit Johannisbeersirup und Eiswürfeln ist das Getränk, das Ananassaft und Mineralwasser enthält.
8. Philip nennt sein Getränk Sonnenaufgang.

22 Getränke mixen

Lösung

Drei Kinder mixen für ihr Geburtstagsfest leckere Getränke.

Welche Namen haben die Kinder ihren Getränken gegeben? Welche drei Zutaten haben sie verwendet und womit haben sie ihre Getränke dekoriert? Kreise alle Zutaten für Klaras Getränk rot ein, für Philips orange und Oskars gelb.

Womit hat Philip sein Getränk dekoriert? *Antwort:* **Mit einer Kapuzinerkresseblüte**

Wenn du alle Lösungen herausgefunden hast, kannst du die passende Dekoration an die Gläser zeichnen.

Name des Kindes:	**Philip**	**Klara**	**Oskar**
Zutaten:	– – – – – – – **orange**	• • • • • • • • • • • **rot**	——————— **gelb**
Getränkename:	**Sonnenaufgang**	**Sprudelfix**	**Bunter Supercooler**

Möglicher Lösungsweg: <u>**6**</u> – 2 – 4 – 5 – 3 – 8 – 1 – 7

Weitere Einstiegsmöglichkeit: mit 4

23 Ein Fall für Kommissarin Sperber *Aufgabe*

Kommissarin Sperber muss herausfinden, wer die wertvolle Skulptur aus dem Museum gestohlen hat. Drei Verdächtige sind festgenommen. Schuhabdrücke wurden sichergestellt und alles von der Spurensicherung eingesammelt, was sich am Tatort fand.

Der Täter ist Raucher und trägt keine Brille. Hilf der Kommissarin und finde Folgendes heraus:

Wer war der Dieb? Und welche Schuhgröße hat er? ______________________

Schuhgröße:

Brillenträger:

Raucher:

1. Zwei der Verdächtigen sind Raucher.
2. Der Nichtraucher steht nicht in der Mitte.
3. Der Verdächtige links trägt Schuhgröße 41.
4. Zwei der Verdächtigen tragen eine Brille.
5. Der Verdächtige in der Mitte hat die größten Füße.
6. Der Verdächtige rechts trägt zwei Schuhnummern kleiner als der Verdächtige in der Mitte und eine Schuhnummer größer als der Verdächtige links.
7. Einer der Raucher ist auch Brillenträger.
8. Der Verdächtige mit Schuhgröße 41 ist kein Raucher.
9. Die Brillenträger stehen nicht nebeneinander.

23 Ein Fall für Kommissarin Sperber

Lösung

Kommissarin Sperber muss herausfinden, wer die wertvolle Skulptur aus dem Museum gestohlen hat. Drei Verdächtige sind festgenommen. Schuhabdrücke wurden sichergestellt und alles von der Spurensicherung eingesammelt, was sich am Tatort fand.

Der Täter ist Raucher und trägt keine Brille. Hilf der Kommissarin und finde Folgendes heraus:

Wer war der Dieb? Und welche Schuhgröße hat er?

Antwort: **Der Verdächtige in der Mitte, er hat Schuhgröße 44.**

Schuhgröße:

41	**44**	**42**

Brillenträger:

ja	**nein**	**ja**

Raucher:

nein	**ja**	**ja**

Möglicher Lösungsweg: **3** – 8 – 6 – 1 – 9

24 Kämpferische Hobbys

Aufgabe

Vier Kinder trainieren begeistert je eine Kampfsportart.

Wer trägt den blauen Gürtel? ____________________

Serhad

Franio

Mia

Anna

Sportart:

Gürtelfarbe:

Medaillen:

Trainingsjahre:

1. Das Kind mit dem orangen Gürtel macht Judo.
2. Anna trainiert seit 3 Jahren Jiu-Jitsu.
3. Franio steht zwischen dem Kind, das Taekwando mag und dem Kind, das Karate macht.
4. Mia trainiert schon seit 6 Jahren Karate.
5. Ganz links steht der Junge, der zwei Medaillen gewonnen hat.
6. Franio trainiert erst halb so lang wie Serhad und ein Jahr weniger als Anna.
7. Mia hat nicht den blauen oder grünen Gürtel und Anna nicht den braunen.
8. Die beiden Mädchen haben gleich viele Medaillen gewonnen.
9. Franio hat eine Medaille weniger als Mia, also noch gar keine.
10. Die Kinder mit dem orangen und dem grünen Gürtel stehen nicht nebeneinander.

24 Kämpferische Hobbys

Lösung

Vier Kinder trainieren begeistert je eine Kampfsportart.

Wer trägt den blauen Gürtel?  *Antwort:* ***Serhad***

Serhad Franio Mia Anna

	Serhad	Franio	Mia	Anna
Sportart:	**Taekwando**	**Judo**	**Karate**	**Jiu-Jitsu**
Gürtelfarbe:	**blau**	**orange**	**braun**	**grün**
Medaillen:	**2**	**0**	**1**	**1**
Trainingsjahre:	**4**	**2**	**6**	**3**

Möglicher Lösungsweg: <u>2</u> – 4 – 5 – 3 – 6 – 9 – 8 – 1 – 10 – 7

Weitere Einstiegsmöglichkeiten: mit 4 oder 5

01 In der Gelateria (CH)

Aufgabe

Es ist Sommer, es ist heiss! Drei Kinder kaufen sich nach der Schule von ihrem Sackgeld eine Kugel Glacé.

Male die Glacékugeln in der passenden Farbe aus und schreibe die Namen der Kinder in die Kästchen.

Welche Glacésorte mag Gabriel? ______________________

1. Das Schokoladenglacé gehört Max.

2. Das Erdbeerglacé ist nicht in der Mitte, aber rechts vom Vanilleglacé.

3. Das Kind, das sein Glacé nicht in einer Waffel mag, heisst Marie.

01 In der Gelateria (CH)

Lösung

Es ist Sommer, es ist heiss! Drei Kinder kaufen sich nach der Schule von ihrem Sackgeld eine Kugel Glacé.

Male die Glacékugeln in der passenden Farbe aus und schreibe die Namen der Kinder in die Kästchen.

Welche Glacésorte mag Gabriel? *Antwort:* **Erdbeer**

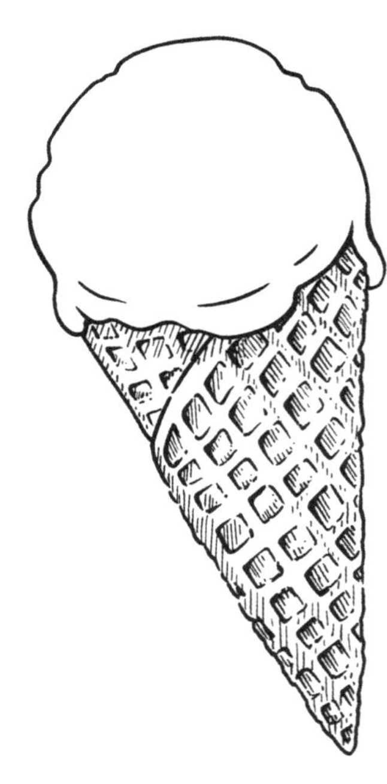

Max	**Marie**	**Gabriel**
Schoko	**Vanille**	**Erdbeer**
Glacésorte	Glacésorte	Glacésorte

Möglicher Lösungsweg: **3** – 2 – 1

Weitere Einstiegsmöglichkeit: mit 2